Louise Hay

Pense positivo todos os dias

Mensagens inspiradoras para animar a sua vida e trazer paz de espírito

SEXTANTE

Título original: *Everyday Positive Thinking*

Publicado originalmente pela Hay House, Inc., Califórnia, EUA.
Sintonize a programação da Rádio Hay House em:
www.hayhouseradio.com

tradução
Teresa Bulhões

preparo de originais
Rachel Agavino

revisão
Ana Grillo
Luis Américo Costa
Sérgio Bellinello Soares

projeto gráfico e diagramação
Valéria Teixeira

capa
Miriam Lerner

ilustração de capa
Júlio Moreira

pré-impressão
ô de casa

impressão e acabamento
Cromosete Gráfica e Editora Ltda.

CIP-BRASIL. CATALOGAÇÃO-NA-FONTE
SINDICATO NACIONAL DOS EDITORES DE LIVROS, RJ

H328p Hay, Louise L.
Pense positivo todos os dias / Louise Hay [tradução de Teresa Bulhões]. – Rio de Janeiro: Sextante, 2008.

Tradução de: Everyday positive thinking
ISBN 978-85-7542-400-1

1. Conduta – Citações, máximas, etc. I. Título.

CDD 170.44
08-1737 CDU 179.9

GMT Editores Ltda.
Rua Voluntários da Pátria, 45 – Gr. 1.404 – Botafogo
22270-000 – Rio de Janeiro – RJ
Tel.: (21) 2286-9944 – Fax: (21) 2286-9244
E-mail: atendimento@esextante.com.br
www.sextante.com.br

Apresentação

"Quero compartilhar com você esta seleção de afirmações positivas, para trazer mais felicidade para o seu dia-a-dia. Tudo está bem! A vida é boa!"

Louise Hay

Em *Pense positivo todos os dias*, Louise Hay reúne citações de diversos autores consagrados, entre eles Jerry e Esther Hicks (neste livro o casal assina junto com Abraham, seu guia espiritual), Sylvia Browne, Deepak Chopra, Stephen Covey, Wayne W. Dyer, Cheryl Richardson, Iyanla Vanzant e Brian Weiss.

Não importa em que fase da vida você se encontra nem que tipo de situação está enfrentando. Ao folhear estas páginas e ler, ao acaso, alguns pensamentos apresentados aqui, será capaz de retomar o contato com sua essência e ver todas as coisas sob uma perspectiva diferente.

Em meio ao corre-corre da vida moderna, muitas vezes precisamos de rápidos momentos de pausa e inspiração para que nossas idéias fiquem mais claras e as pressões do dia-a-dia se tornem mais leves. Repleto de conceitos profundos, este livro vai ajudar você a alcançar a paz interior e o bem-estar que tanto procura.

Os pensamentos que você escolhe ter e em que decide acreditar neste exato momento estão criando seu futuro. São eles que geram suas experiências de amanhã, da semana que vem e do próximo ano.

LOUISE HAY

Transmita amor e harmonia. Coloque sua mente e seu corpo num lugar cheio de paz e então permita que o Universo trabalhe da maneira perfeita que ele conhece.

DR. WAYNE W. DYER

A alegria é um puro estado de graça que atingimos ao trazer conforto e alívio a outras pessoas. Fazer isso vai trazer felicidade à sua vida todos os dias.

SYLVIA BROWNE

Para ter sucesso na carreira que escolheu, você precisa se libertar de todos os condicionamentos cármicos que insistem em repetir: "Eu não posso fazer isso." Você pode!

DEEPAK CHOPRA, M.D.

Liberte-se da necessidade de culpar quem quer que seja, inclusive você mesmo. Todos nós estamos fazendo o melhor possível com a compreensão, o conhecimento e a consciência que temos.

LOUISE HAY

A intenção é uma força no Universo e tudo e todos estão conectados a essa força invisível.

DR. WAYNE W. DYER

Milton disse que dentro de cada um de nós existe o paraíso e o inferno. Escolha o paraíso, libertando-se do arrependimento e da culpa. Lembre-se de que, por meio do amor, Deus vai aliviar seu sofrimento e colocar você de pé novamente.

SYLVIA BROWNE

Quando você reconhecer que é um ser humano que às vezes comete erros, não vai mais se deixar seduzir pela ilusão da vaidade.

DEEPAK CHOPRA, M.D.

As coisas mais importantes do mundo não têm etiqueta de preço, pois não podem ser compradas nem vendidas por preço algum.

SUZE ORMAN

Quando a vida lhe apresentar mais desafios do que você é capaz de suportar, entregue-os a Deus. Ele não apenas *tem* a resposta. Ele *é* a resposta.

TAVIS SMILEY

Quando pedimos por milagres, temos um objetivo prático: recuperar a paz interior. Não estamos pedindo que alguma coisa mude *fora* de nós, mas *dentro* de nós.

MARIANNE WILLIAMSON

As pessoas proativas não culpam as circunstâncias por seu comportamento. Suas atitudes são o produto de suas próprias escolhas.

STEPHEN R. COVEY

A verdadeira generosidade não está na quantidade de dinheiro que você *tem* para doar, mas se este dinheiro passa pelo seu coração antes de ir para o mundo.

SUZE ORMAN

Todos nós estamos aqui para realizar alguma coisa. Reflita sobre sua missão e depois empregue seus dons e seu talento na realização de seu objetivo. Agindo assim, você se tornará um ímã permanente de milagres.

TAVIS SMILEY

A vida é como um livro que nunca termina. Os capítulos acabam, mas não o livro. O fim de uma encarnação física é como o fim de um capítulo, que prepara, num outro nível, o início de outro.

MARIANNE WILLIAMSON

A mentalidade da abundância flui da profunda consciência de nosso valor e de um sentimento de segurança. Ela tem origem no seguinte paradigma: há muito por aqui... o suficiente para todos nós. Ela abre possibilidades, opções, alternativas e estimula a criatividade.

STEPHEN R. COVEY

Procure as coisas que fazem você se sentir bem e veja como tudo em sua vida vai passar a refletir essa vibração de bem-estar.

ABRAHAM-HICKS

Está se sentindo paralisado ou indeciso? Ouça sua intuição e tome uma decisão!

DOREEN VIRTUE, PH.D.

Diga apenas o que realmente quer dizer. Evite usar as palavras para falar mal de si mesmo ou fazer fofoca sobre os outros. Use o poder da sua palavra em prol da verdade e do amor.

DON MIGUEL RUIZ

É fácil nos perdermos em especulações infinitas. Então, deixe de lado a necessidade de saber por que as coisas aconteceram de determinada maneira. Em vez disso, tente descobrir o que você deve aprender com o que aconteceu.

CAROLINE MYSS E PETER OCCHIOGROSSO

Sua decisão de buscar um pensamento que lhe traga bem-estar é muito poderosa e vai ajudá-lo de diversas maneiras. Esse pensamento positivo vai reverberar dentro de você, abrindo caminho para um bem-estar maior do que aquele gerado pelo pensamento inicial.

ABRAHAM-HICKS

Cerque-se de pessoas e situações positivas e evite a negatividade.

DOREEN VIRTUE, PH.D.

O mundo inteiro pode amar você, mas isso não o fará feliz. O que vai lhe trazer felicidade é compartilhar o amor que existe dentro de você. É esse o amor que vai fazer a diferença.

DON MIGUEL RUIZ

Misericórdia é uma palavra pouco usada. Mas o que ela realmente significa? Não julgar o próximo, usar palavras gentis, ter compaixão pelos outros. Que você seja agraciado com tudo isso em seu caminho!

CAROLINE MYSS E PETER OCCHIOGROSSO

Se você analisar seus pensamentos e convicções, vai perceber que aceitou muitos deles sem questionar. Aprenda com suas experiências e descarte as crenças obsoletas.

BRIAN WEISS, M.D.

Liberte-se de seu perfeccionismo. A vida está sempre mudando. Exigir perfeição coloca o Universo numa camisa-de-força.

CHRISTIANE NORTHRUP, M.D.

O segredo da felicidade é perceber que o importante não é o que *acontece*, mas como você escolhe reagir a isso.

KEITH D. HARRELL

Tenha consciência das bênçãos que recebe. Um coração agradecido atrai mais alegria, amor e prosperidade.

CHERYL RICHARDSON

A sabedoria é conquistada lentamente e é a expressão do conhecimento no seu dia-a-dia. Servir com amor é a suprema sabedoria.

BRIAN WEISS, M.D.

A verdadeira parceria proporciona um lugar seguro para se correr riscos. Ela também estimula o crescimento e a evolução.

CHRISTIANE NORTHRUP, M.D.

Você não precisa deixar o que os outros dizem afetar você negativamente. Os outros podem pronunciar as palavras, mas *você* escolhe sua atitude diante delas.

KEITH D. HARRELL

Diga a verdade. A integridade é a chave para se viver uma vida autêntica.

CHERYL RICHARDSON

As inúmeras provações e dificuldades são testes de fé que lhe permitem entregar a Deus algo de grande valor, mesmo quando você teria todo o direito de não fazê-lo.

DR. BRUCE WILKINSON

Até hoje você sabia que não adianta insistir em situações que não estão dando certo com a esperança de que elas melhorem. *Só por hoje* entenda que, depois de tentar tudo o que podia, simplesmente não há mais nada que você possa fazer e não é saudável nem produtivo continuar insistindo!

IYANLA VANZANT

As mulheres precisam de carinho, compreensão e segurança. Os homens, de confiança, aceitação e admiração.

JOHN GRAY

Para que serve organizar? Quando colocamos tudo em ordem, nossas casas, escritórios e planos refletem e reforçam quem somos, o que queremos e quais são nossos objetivos.

JULIE MORGENSTERN

Não importa se você dispõe de pouco dinheiro, tempo ou energia. O que Deus quer que você faça será sempre maior do que seus recursos iniciais.

DR. BRUCE WILKINSON

Como eliminar três itens da sua eterna lista de "coisas a fazer"? Livre-se da obrigação de fazer o que não tem mais significado nenhum para você!

IYANLA VANZANT

A maior luta *dela* é preservar sua individualidade enquanto tenta atender às necessidades dos outros. A maior luta *dele* é superar sua tendência ao egocentrismo.

JOHN GRAY

Comece aos poucos. Se você passou a vida toda no caos, crie um oásis de ordem para começar – não importa quão pequeno seja – e o mantenha por um mês antes de expandi-lo.

JULIE MORGENSTERN

Deus concebeu uma grande corrida para você. Sob Sua proteção, você chegará a lugares onde nunca esteve e lutará de uma maneira que jamais sonhou. Mas terá que se livrar de seus fardos.

MAX LUCADO

Dedique-se a alguma coisa ou a alguém e honre sua escolha aconteça o que acontecer.

CHÉRIE CARTER-SCOTT, PH.D.

Esta vida é sua. Ela foi comprada e paga por você mesmo, com milhares de anos de encarnações e trabalho. Lute por ela! Você tem esse direito. Para isso você foi amado tão intensamente.

KRYON

Às vezes um bom grito direcionado a ninguém ajuda mais do que um diálogo ou um monólogo.

ANNE WILSON SCHAEF

Você não acha que já aconteceram mudanças demais em sua vida? Os relacionamentos mudam. A saúde muda. O tempo muda. Mas o Deus que reinou sobre a Terra ontem é o mesmo de hoje.

MAX LUCADO

Busque sua força interior ao se defrontar com perigos, dificuldades e obstáculos.

CHÉRIE CARTER-SCOTT, PH.D.

Deus é amor, e o amor é a força mais poderosa do Universo. Ele irá protegê-lo e servi-lo.

KRYON

O trabalho pode ser uma forma de você abusar de si mesmo e dos outros, ou... uma forma de expressar sua criatividade e sua espiritualidade. A escolha é sua.

ANNE WILSON SCHAEF

Tente perceber quando você ultrapassou seus limites e procure voltar a seu ponto de equilíbrio.

LEON NACSON

Todos os dias, aceite tudo o que lhe acontece como um presente. À noite, mentalmente, devolva tudo. Dessa forma você se liberta. Ninguém pode lhe tirar nada, já que nada é seu.

DANIEL LEVIN

Quando você tenta prestar atenção aos sons, cheiros, imagens e sensações que o cercam, está vivendo o momento presente.

DEEPAK CHOPRA, M.D.

Quando você estiver com medo em questões de dinheiro, repita para si mesmo: "Eu sou forte, eu sou forte, eu sou a própria força." Você verá que sua ansiedade dará lugar a uma nova sensação de confiança.

SUZE ORMAN

Preocupe-se de verdade com o bem-estar e o crescimento dos outros. Perceba a força que cada um tem.

LEON NACSON

Sinta o sofrimento dos outros. Entenda suas lutas, decepções, dificuldades e inadequações e abra seu coração para eles. Entenda que cada um está fazendo o melhor que pode. Não julgue ninguém. Em vez disso, acolha toda a humanidade em seu coração.

DANIEL LEVIN

Tenha confiança para expor suas opiniões sem medo de ser recriminado. Assim, você vai inspirar os outros a fazerem o mesmo.

DEEPAK CHOPRA, M.D.

Quando seu dinheiro estiver em jogo, faça o que o deixar seguro e confortável. Confie mais em você mesmo do que nos outros. Acredite ou não, apenas você sabe o que é melhor para suas finanças.

SUZE ORMAN

Seja qual for a sua raça, religião ou partido político, nunca deixe de questionar a autoridade deles.

TAVIS SMILEY

O casamento é um presente de Deus para o homem e a mulher. É um presente que deve ser devolvido a Ele. O casamento é uma bênção, pois por meio dele duas pessoas podem se tornar mais do que teriam sido sozinhas.

MARIANNE WILLIAMSON

Não leve os insultos para o lado pessoal. Desvie-se da energia negativa e procure sempre o que há de bom em todo mundo. Você pode usar os aspectos positivos dos outros – por mais diferentes que sejam – para aperfeiçoar seu ponto de vista e aumentar suas perspectivas.

STEPHEN R. COVEY

Tentar impedir alguém de fazer alguma coisa desafia as leis do Universo. É algo que não pode ser feito. Você não pode controlar os outros, mas pode controlar – e criar – sua própria realidade.

ABRAHAM-HICKS

Não caia na tentação de ser mesquinho ou implicante. Aceite que os outros podem ter razão. De sua parte, promova a paz nos conflitos.

TAVIS SMILEY

O crescimento pessoal pode ser doloroso, pois às vezes ficamos envergonhados e humilhados diante de nossa própria ignorância. Mas nosso objetivo espiritual deve ser o caminho que nos liberta dos padrões mentais baseados no medo e nos leva aos do amor e da paz.

MARIANNE WILLIAMSON

Crie afirmações com os seguintes ingredientes básicos: que sejam *pessoais*, *positivas*, formuladas no *presente*, *visuais* e *emocionais*. Depois, todos os dias, visualize a realização dessas afirmações. Você vai ver que seu comportamento e as circunstâncias vão mudar para melhor.

STEPHEN R. COVEY

Mesmo que hoje você tivesse todas as doenças conhecidas pelo homem, se amanhã escolhesse pensamentos que o fizessem se sentir de outra maneira, todas elas desapareceriam. O segredo é não dar muita atenção às coisas indesejáveis. Quando não se sentir bem, direcione sua atenção para outra coisa.

ABRAHAM-HICKS

Encare os diferentes riscos e experiências como uma forma de crescer e aprender.

DOREEN VIRTUE, PH.D.

Não leve para o lado pessoal nada do que as pessoas fazem, sentem, pensam ou dizem. Os outros têm suas próprias opiniões, de acordo com seus sistemas de crenças, então o que eles pensam sobre você não é na verdade sobre *você*, mas sobre *eles* mesmos.

DOM MIGUEL RUIZ

A cura exige que você reconheça sua própria verdade. Você detesta alguém ou deseja muito alguma coisa? Tem algum vício? Reconhecer as dificuldades é o primeiro passo para a cura.

CAROLINE MYSS E PETER OCCHIOGROSSO

Você não é apenas seu corpo físico. Você existiu antes de entrar nele e continuará existindo depois de deixá-lo.

BRIAN WEISS, M.D.

Você tem mais poder do que imagina. É este poder que lhe dá segurança!

DOREEN VIRTUE, PH.D.

De agora em diante, faça com que todas as suas ações, reações, pensamentos e emoções sejam baseados no amor. Desenvolva seu amor-próprio até que o grande sonho que é a sua vida se transforme de medo e drama em amor e alegria.

DOM MIGUEL RUIZ

Pense nesta incrível possibilidade: você reencarnou nesta Terra só para experimentar a alegria de estar vivo. Você sabe o que lhe traz felicidade? Faça algo a respeito disso hoje.

CAROLINE MYSS E PETER OCCHIOGROSSO

As pessoas estão sempre mudando e crescendo. Não se prenda a uma visão limitada, dissociada e negativa do que alguém já foi. Veja essa pessoa no presente.

BRIAN WEISS, M.D.

Tente perceber as conseqüências de não conseguir expressar quem você é de verdade. A expressão pessoal é baseada na auto-análise, na integridade, na honestidade e no desejo de mudar.

CHRISTIANE NORTHRUP, M.D.

A atitude é o fundamento e a base de tudo o que você faz. É a peça-chave para controlar o seu destino.

KEITH D. HARRELL

Deixe de lado a necessidade de estar no controle. Confie na sabedoria do plano divino.

CHERYL RICHARDSON

Deus quer ouvir seus pedidos e sofrimentos, seu louvor e sua gratidão. Não tenha medo de ser honesto e confie Nele.

DR. BRUCE WILKINSON

Valorize todos os relacionamentos que já teve. Boas ou más, nossas relações são nossos melhores professores.

CHRISTIANE NORTHRUP, M.D.

Procure a felicidade verdadeira dentro de você mesmo. É difícil ser feliz dependendo de fontes externas.

KEITH D. HARRELL

Respeite suas verdadeiras prioridades. Quando não estiver seguro de que quer dizer *sim*, diga *não*.

CHERYL RICHARDSON

Pedir é o primeiro passo para receber. Com uma oração simples e confiante, você pode mudar seu futuro. Você pode mudar o que vai acontecer daqui a um minuto.

DR. BRUCE WILKINSON

Até hoje você pode ter escondido pensamentos e sentimentos. Você pode ter sentido medo de fazer uma auto-análise e se abrir para os outros. *Só por hoj*e, tente se libertar de todas as causas de sofrimento que você vem guardando em seu coração e em sua mente.

IYANLA VANZANT

Um homem ganha pontos com uma mulher quando se esforça para ajudar. Uma mulher ganha pontos com um homem quando o perdoa por ter errado.

JOHN GRAY

Faça circular tudo o que você tem mas não usa. Não se apegue a coisas inúteis só porque lhe custaram caro. Se você precisar delas de novo, provavelmente elas encontrarão seu caminho de volta.

JULIE MORGENSTERN

Deus descansa em meio a tempestades e acalma os ventos com uma só palavra. Ele não se preocupa com o câncer nem com cemitérios. Ele estava aqui antes e permanecerá depois que essas coisas se forem.

MAX LUCADO

O que fazer para esquecer todos os seus problemas? Você *quer* simplesmente esquecê-los hoje? Quando você deixa de prestar atenção aos problemas, eles se aborrecem e vão embora.

IYANLA VANZANT

Quando a mulher passa dos limites, precisa voltar à sua "fonte" para recarregar as energias. Quando o homem fica furioso, precisa se recolher à sua "caverna" para esfriar a cabeça.

JOHN GRAY

Supere os obstáculos. Desvie-se da barreira que se ergueu entre você e a vida produtiva e gratificante que sempre desejou.

JULIE MORGENSTERN

Você está numa prisão? A resposta é sim, se sua felicidade vier de alguma coisa que você deposita, dirige, bebe ou come. Faça um esforço sincero para se libertar das prisões que o acorrentam.

MAX LUCADO

Seja confiante e modesto em relação a seus próprios méritos e compreenda suas limitações.

CHÉRIE CARTER-SCOTT, PH.D.

Está se sentindo imobilizado em seu caminho? Valorize isso! Valorize o fato de perceber que tudo é relativo e que você pode ter parado para que outros pudessem avançar. Você negaria a eles a participação no que você mesmo criou?

KRYON

Tenha compaixão por seus pais. Saiba que você os escolheu porque eles eram perfeitos para lhe ensinar o que você precisava aprender. Perdoe-os e liberte-os.

LOUISE HAY

A intenção do Universo se manifesta de milhões de maneiras no mundo físico, e cada parte de você – incluindo sua alma, seus pensamentos, suas emoções e seu corpo – faz parte dessa intenção.

DR. WAYNE W. DYER

Saiba que você é a fonte de suas manifestações.

CHÉRIE CARTER-SCOTT, PH.D.

Não há nada em seu passado que não possa ser mudado *agora*. Você é o criador do passado e do futuro. Portanto, é você quem cria tudo no *presente*, até as coisas que considera imutáveis.

KRYON

Saiba que você tem a idade ideal. Cada ano é especial e precioso, pois você só vai vivê-lo uma vez. Sinta-se confortável ao envelhecer.

LOUISE HAY

Aja como se o que você deseja já estivesse aqui. Acredite que já recebeu tudo o que procura, pois aquilo já existe no plano espiritual. E acredite que todos os seus desejos serão atendidos.

DR. WAYNE W. DYER

As pessoas podem tentar destruir sua reputação e isso dói. Mas lembre-se de que isso só pode ferir seus *sentimentos*. O mundo vai esquecer, portanto não se perturbe com a publicidade negativa nem com o que os outros vão pensar. Você e Deus sabem a verdade, o resto não importa.

SYLVIA BROWNE

O maior segredo para ganhar dinheiro e ser bem-sucedido é ajudar *outras* pessoas a ganharem dinheiro e serem bem-sucedidas.

DEEPAK CHOPRA, M.D.

A liberdade financeira acontece quando você cuida das pessoas e dos lugares a sua volta e oferece seus serviços a Deus.

SUZE ORMAN

Relaxe. Você nunca vai ser velho demais, profissional demais ou bem-sucedido demais para rir e fazer bobagens. Permita-se brincar. Deixe a criança que existe dento de você se manifestar e aproveite a vida.

TAVIS SMILEY

Se você não se exercitar, seu cérebro vai pensar que você está morto. Mexer-se vai "sacudir sua poeira" e lhe dar mais energia. Cuide de seu corpo como se fosse um carro: com uma boa manutenção, ele vai funcionar por muito tempo.

SYLVIA BROWNE

As pequenas coisas que você faz diariamente – como sorrir para um estranho ou cumprimentar alguém – o aproximam de sua verdade espiritual e da pureza de sua alma.

DEEPAK CHOPRA, M.D.

O dinheiro permite que você faça escolhas, e suas escolhas revelam seus valores. Portanto, a quantidade de dinheiro que você tem vai refletir o *valor* que você dá a seu dinheiro.

SUZE ORMAN

Seja aberto, honesto e honrado em tudo o que fizer. Estabeleça para si mesmo padrões, princípios e valores elevados e suba sempre mais um degrau. Em tudo o que fizer, seja verdadeiro com *você mesmo*.

TAVIS SMILEY

Seu principal trabalho nesta vida é amar e perdoar. O segundo é seu emprego real. O trabalho, qualquer que seja sua forma, deve ajudar a melhorar o mundo.

MARIANNE WILLIAMSON

Seu exemplo flui naturalmente de seu caráter, do tipo de pessoa que você é. Seu caráter está se irradiando e se comunicando o tempo todo. É a partir dele que os outros vão, instintivamente, confiar ou não em você e em suas ações.

STEPHEN R. COVEY

Ninguém pode interferir em suas experiências, pois ninguém pode controlar seus pensamentos. Em sua busca pela felicidade, você vai descobrir tudo o que quer ser, fazer ou ter.

ABRAHAM-HICKS

Deixe de lado todos os pensamentos mesquinhos sobre você! Pense em si mesmo sendo bem-sucedido.

DOREEN VIRTUE, PH.D.

Intimidade significa que nos sentimos seguros o bastante para revelar a verdade sobre nós mesmos, em todo o seu caos criativo. Se é criado um espaço no qual duas pessoas se sintam totalmente livres para mostrar suas barreiras, com o tempo essas defesas desaparecerão.

MARIANNE WILLIAMSON

Ajude os outros por meio de seu trabalho, de sua amizade e de contribuições anônimas. Sua motivação deve ser apenas a de melhorar a vida das pessoas. O efeito, e não o reconhecimento, deve ser seu verdadeiro objetivo.

STEPHEN R. COVEY

Apesar de você sempre voltar para casa no final das férias, a idéia não é que elas terminem o mais rápido possível para que sejam riscadas de sua lista de obrigações. O objetivo das férias – e da vida – é ter uma experiência feliz.

ABRAHAM-HICKS

Tire um tempo para relaxar, ficar quieto e desfrutar a solidão, presenteando-se com o tão necessário cuidado com você mesmo.

DOREEN VIRTUE, PH. D.

Quando você deixar o passado para trás, vai se permitir viver plenamente o momento atual. Libertar-se do passado significa que você pode aproveitar o sonho que está acontecendo agora.

DOM MIGUEL RUIZ

Hoje tente ser o portador apenas de boas notícias. Ao aceitar esse desafio, observe se ele lhe parece difícil. Se a resposta for sim, tente descobrir o porquê dentro de você.

CAROLINE MYSS E PETER OCCHIOGROSSO

Você só pode controlar suas reações e atitudes em relação ao que acontece. Você não pode controlar os eventos em si. Aprenda a diferença.

BRIAN WEISS, M.D.

Saiba a diferença entre cuidar de suas emoções e ser dependente. Muitas pessoas desenvolvem comportamentos dependentes ou consomem substâncias que viciam para encobrir emoções com as quais não sabem lidar.

CHRISTIANE NORTHRUP, M.D.

Comprometa-se a fazer novos acordos com quem você ama. Se um acordo não funcionar, mude-o e crie um novo. Use sua imaginação para explorar as possibilidades.

DOM MIGUEL RUIZ

Perdoe alguém hoje. Abra seu coração para essa pessoa e abandone ressentimentos desnecessários do passado. Sinta a paz que se segue a esse simples ato.

CAROLINE MYSS E PETER OCCHIOGROSSO

O amor é a energia da qual todas as pessoas e coisas são feitas. Você está conectado a tudo o que existe no mundo através do amor.

BRIAN WEISS, M.D.

Leve você mesmo e sua vida criativa a sério. Encontre tempo para se expressar. Tenha disciplina. Essa é a única maneira de desenvolver seus dons e talentos.

CHRISTIANE NORTHRUP, M.D.

Existem dois tipos de pessoas no mundo: as que o colocam para cima e as que o puxam para baixo. Identifique as pessoas do primeiro grupo e seja grato a elas.

KEITH D. HARREL

Cuide do seu corpo. Amor-próprio e auto-aceitação são os atos supremos ao cuidarmos de nós mesmos.

CHERYL RICHARDSON

Quando você perceber o que a mão invisível de Deus está fazendo na sua vida – e reagir a isso de maneira positiva –, vai prosperar rapidamente. E vai se perguntar por que almejou tão pouco por tanto tempo.

DR. BRUCE WILKINSON

Como você pode permitir que os outros ultrapassem seus limites? Quer preservar seus limites hoje? Eles só vão protegê-lo se os outros souberem que existem.

IYANLA VANZANT

Crenças poderosas fortalecem você. Hoje, crie três crenças que contribuam para uma atitude positiva e mantenha o foco nelas.

KEITH D. HARREL

Estabeleça uma meta, escreva-a e espere o resultado. Pequenos passos fazem uma grande diferença.

CHERYL RICHARDSON

Você dará um grande salto espiritual quando começar a se concentrar menos em vencer a tentação e mais em evitá-la.

DR. BRUCE WILKINSON

Até hoje você pode ter sacrificado sua paz e seu equilíbrio espiritual em busca de riquezas materiais. *Só por hoje* avalie se essa busca é uma bênção ou uma maldição.

IYANLA VANZANT

Quando você aceitar o fato de que a única constante na vida é a mudança, não vai mais prejudicar a si mesmo e aos outros recusando-se a aceitá-la. Acolher a mudança é acolher a própria vida.

ANNE WILSON SCHAEF

O ego da mulher é definido por seus sentimentos e pela qualidade de seus relacionamentos. O ego do homem é definido por sua capacidade de obter resultados.

JOHN GRAY

Gratifique-se quando realizar diferentes etapas de um projeto. Vá ao cinema, ligue para um amigo ou dê um passeio.

JULIE MORGENSTERN

Deus faz a coisa certa no momento certo. E que diferença isso faz! Quando você acredita na providência divina, pode aproveitar o momento presente.

MAX LUCADO

O fato de seus filhos não corresponderem às suas expectativas do que eles deveriam se tornar pode ser um elogio para você.

ANNE WILSON SCHAEF

A mulher busca a comunicação, que é a base de sua feminilidade. O homem busca a admiração, que é a base de sua masculinidade.

JOHN GRAY

Estabeleça seu próprio ritmo. Algumas pessoas preferem mudanças grandes e radicais. Outras preferem caminhos lentos e seguros. Faça o que for melhor para você.

JULIE MORGENSTERN

Exigir respeito é como caçar uma borboleta. Se você correr atrás dela, nunca vai pegá-la. Fique quieto e ela pode vir pousar no seu ombro.

MAX LUCADO

Acredite: há mais do que o bastante para todos.

CHÉRIE CARTER-SCOTT, PH.D.

Se você for esperar até se sentir perfeito para ter amor-próprio, vai desperdiçar toda a sua vida. Você já é perfeito.

LOUISE HAY

Tudo aquilo a que você se opõe pode ser reformulado de uma forma *positiva*. Em vez de declarar guerra, fique em *paz*. Não seja contra a pobreza, mas *a favor* da prosperidade.

DR. WAYNE W. DYER

A mentira corrompe a alma. Quando você mente, não engana apenas o outro, mas também a si mesmo. A espiritualidade está na verdade.

SYLVIA BROWNE

Busque seu nível mais alto e profundo de sabedoria, percepção e compreensão.

CHÉRIE CARTER-SCOTT, PH.D.

Todos nós somos estudantes e professores. Pergunte a si mesmo: "O que vim aprender e o que vim ensinar?"

LOUISE HAY

Se você não se amar, ninguém mais vai amá-lo. E não é só isso – você também não vai conseguir amar ninguém. O amor começa com o amor-próprio.

DR. WAYNE W. DYER

Há muitas verdades, mas apenas uma é universal, constante e imutável: *Deus é onipotente e perfeito*. Tudo o mais é redundante!

SYLVIA BROWNE

Quando você reconhece que suas emoções, assim como as dos outros, às vezes podem ser caprichosas, se torna mais capaz de perdoar e esquecer.

DEEPAK CHOPRA, M.D.

Suas finanças são como um jardim. Se você cuidar dele com capricho, regando, podando e adubando as plantas, ele vai ficar muito mais bonito do que se você só regá-lo de vez em quando, de má vontade.

SUZE ORMAN

Você é o que você fala. Diga o que vai fazer e faça o que disse. Nunca empregue suas palavras em mentiras, ilusões ou trapaças. Você ganha credibilidade honrando sua palavra.

TAVIS SMILEY

A generosidade é a chave para se ter experiências positivas nesta vida. Saiba que há espaço para todos serem apaixonados, criativos e bem-sucedidos. Na verdade, há mais do que *espaço* – há *necessidade* de que todos sejam assim.

MARIANNE WILLIAMSON

A boa sorte acontece quando uma oportunidade se apresenta. Esteja preparado para ela.

DEEPAK CHOPRA, M.D.

Quando você tiver que tomar decisões sobre questões financeiras que durem para sempre, agirá corretamente se seguir seu primeiro instinto. Essa resposta será sempre a melhor para você, a que vai lhe permitir aumentar seu poder de ganhar dinheiro.

SUZE ORMAN

Saiba que tudo o que fizer volta para você. Distancie-se de si mesmo e pense nas conseqüências antes de dar um passo. Você só deve agir se seus atos trouxerem paz para você mesmo e para os outros.

TAVIS SMILEY

Não importa qual seja a doença, o vício ou a anomalia física, suas causas estão sempre na mente e é apenas lá que podem ser curadas. O maior dom que Deus lhe deu foi o poder de mudar sua mente.

MARIANNE WILLIAMSON

A confiança é a essência das relações em que todos saem ganhando. Como a confiança é mútua, vocês podem se abrir e colocar as cartas na mesa. Mesmo que vejam as coisas de modo diferente, cada um está disposto a entender o ponto de vista do outro.

STEPHEN R. COVEY

De forma egoísta, busque a alegria, pois é o maior presente que você pode dar a alguém. Se não estiver alegre, não terá nada a oferecer.

ABRAHAM-HICKS

Permita que os outros cuidem de você com amor. Receba esse carinho sem culpa.

DOREEN VIRTUE, PH.D.

Tenha coragem de pedir o que você quer. Os outros têm o direito de dizer sim ou não, mas você sempre pode pedir. Da mesma forma, todos têm o direito de lhe pedir o que quiserem, e você também pode responder sim ou não.

DOM MIGUEL RUIZ

Tomar a iniciativa não significa ser atrevido, irritante ou agressivo, e sim criar uma atmosfera em que os outros podem aproveitar oportunidades e resolver problemas de modo muito mais confiante.

STEPHEN R. COVEY

Você não está aqui para consertar coisa alguma, pois nada está quebrado. Tudo está mudando e se expandindo continuamente. Desista de lutar e busque felicidade e diversão. Ao fazer isso, você vai se alinhar ao fantástico ritmo de expansão do Universo.

ABRAHAM-HICKS

Faça afirmações positivas todas as manhãs, para abrir as portas das manifestações.

DOREEN VIRTUE, PH.D.

O gesto supremo de perdão acontece quando você se desculpa por todas as feridas que criou em sua própria vida. O perdão é um ato de amor-próprio. Quando você se perdoa, nasce a auto-aceitação e a auto-estima cresce.

DOM MIGUEL RUIZ

Muitas vezes fechamos os olhos para a beleza porque ela nos inspira a ir além de nós mesmos. Hoje procure apenas a beleza à sua volta, especialmente quando seu primeiro impulso for o de criticar alguém ou alguma coisa.

CAROLINE MYSS E PETER OCCHIOGROSSO

Fazer as coisas com amor, dar o melhor de si e não se preocupar com resultados ou vantagens – é assim que se deve viver.

BRIAN WEISS, M.D.

Continue aprendendo por toda a vida. Exponha-se a idéias novas. Tenha aulas com freqüência. Esteja sempre pronto a aprender.

CHRISTIANE NORTHRUP, M.D.

Objetivos são ferramentas para manter o foco em sua vida e inspirar suas ações. Hoje tente determinar o valor de seus objetivos... pode ser que alguns deles não valham mais a pena.

KEITH D. HARRELL

Pergunte a si mesmo: "Quais são os meus desejos?" E em seguida: "Quais são minhas verdadeiras necessidades?" Você vai perceber que muitas vezes seus desejos não têm nenhum valor real. Então vai notar quão facilmente desperdiça seu poder.

CAROLINE MYSS E PETER OCCHIOGROSSO

Neste mundo, você aprende através dos relacionamentos, não das coisas. Você não poderá levar as coisas com você quando partir.

BRIAN WEISS, M.D.

Tudo o que o cerca – sua casa, seus hábitos, animais de estimação, seu corpo e suas roupas – é reflexo de como você se vê e se expressa. Será que isso reflete seu verdadeiro eu?

CHRISTIANE NORTHRUP, M.D.

O que *aconteceu* é muito menos importante do que o que *pode acontecer*. Olhe para as possibilidades de seu futuro em busca de orientação e evite as pesadas limitações do passado.

KEITH D. HARRELL

Chore à vontade. A dor é um portal para seu eu mais profundo.

CHERYL RICHARDSON

Acredite que Deus já preparou uma vida significativa para você e que ele vai fazê-la acontecer.

DR. BRUCE WILKINSON

A quem você deve dizer "desculpe-me"? Quer se desculpar com alguém hoje? Pedir desculpas não é uma admissão de culpa ou de má conduta. É a expressão de que você vai agir melhor da próxima vez.

IYANLA VANZANT

Com quem você não vai falar? A quem você não vai perdoar, vivo ou morto? É hora de acabar com isso!

KRYON

Agende um encontro sagrado com você mesmo. Você merece um tempo para a *sua* vida.

CHERYL RICHARDSON

Busque com firmeza o milagre. Deus conhece seus dons, suas dificuldades e a situação em que você está a cada momento.

DR. BRUCE WILKINSON

Até hoje você pode ter procurado desculpas pelas questões mal-resolvidas e incompletas em sua vida. *Só por hoje*, tente reconhecer todas as coisas que ficaram por fazer ou por dizer em sua vida. O conhecimento é o primeiro passo em direção à cura.

IYANLA VANZANT

Tire a palavra *vítima* de sua vida e de seu vocabulário. Ela se agarra à velha energia e não combina com sua grandeza.

KRYON

Os sentimentos são apenas isso: sentimentos. Eles lhe mostram quando alguma coisa não está bem. O importante é o que você faz com eles.

ANNE WILSON SCHAEF

As mulheres não gostam que lhes digam como mudar seus sentimentos. Os homens não gostam que lhes digam o que fazer.

JOHN GRAY

Se você se sente mais feliz cercado de muitos objetos, não tente viver num ambiente vazio e ascético. Em vez disso, desfrute suas coisas organizando-as.

JULIE MORGENSTERN

Não encare a morte sem encarar Deus. Nem sequer fale na morte sem falar com Deus. Ele, e só Ele, pode levá-lo em segurança por esse vale.

MAX LUCADO

A boa comunicação é um equilíbrio entre falar e compartilhar, ouvir atentamente e absorver... antes de voltar a falar.

ANNE WILSON SCHAEF

Quanto mais uma mulher se sente no direito de se irritar, menos irritada fica. Quando os homens falam de seus problemas, estão procurando soluções.

JOHN GRAY

Seus armários, gavetas e estantes estão cheios de coisas que você nunca usa? Livre-se do excesso e crie espaço para o que você ama.

JULIE MORGENSTERN

Seja específico em suas orações. Dê a Deus o número do vôo. Diga a Ele a duração do seu discurso. Conte-Lhe os detalhes da mudança de emprego. Ele tem muito tempo e compaixão e não acha que seus medos são bobos e infundados. Ele já esteve onde você está, sabe como você se sente e do que precisa.

MAX LUCADO

À medida que sua compreensão da vida cresce, você pode viver neste planeta com mais segurança, caminhando sempre em direção a um bem maior.

LOUISE HAY

O perdão é a coisa mais poderosa que você pode fazer por si mesmo no caminho espiritual. Se você não puder aprender a perdoar, desista de alcançar os níveis mais altos de consciência.

DR. WAYNE W. DYER

A verdadeira paciência é uma virtude que todos nós temos que aperfeiçoar de alguma forma. Em vez de ficar impaciente, tente fazer uma rápida meditação: respire profundamente e pense em coisas agradáveis.

SYLVIA BROWNE

Perceba que, quando você está equilibrado, possui um nível de força e flexibilidade que lhe permite enfrentar, sem esforço, qualquer desafio.

DEEPAK CHOPRA, M.D.

Você não pode aprender pelos outros. Eles precisam fazer o trabalho sozinhos e o farão quando estiverem prontos.

LOUISE HAY

Todos os grandes professores nos deixaram uma mensagem semelhante: busque dentro de si mesmo, descubra seu eu maior e invisível e entenda que Deus é o amor que existe dentro de você.

DR. WAYNE W. DYER

Seja causada por morte ou por divórcio, a perda da pessoa amada deixa um grande vazio. A única maneira de recuperar o bem-estar é "tirar o foco de você mesmo", ajudando os outros.

SYLVIA BROWNE

Se você puder aprender com cada relacionamento e entender como ele entrou em sua vida, não vai precisar se lembrar de nenhum deles com arrependimento.

DEEPAK CHOPRA, M.D.

Tenha coragem de discutir sua situação financeira com seu parceiro a partir do amor, e não da ganância, desejando o melhor para o outro, não só naquele momento mas sempre. Dessa forma, não importa o que acontecer, você não tem nada a perder.

SUZE ORMAN

Cada obstáculo que você superar é um passo em direção à grandeza. Aprenda com os obstáculos, pois eles o fortalecem para enfrentar as futuras barreiras em seu caminho para o sucesso.

TAVIS SMILEY

Com seus próprios filhos, você pode reescrever a história, educando-os da maneira que gostaria de ter sido educado. E assim você refaz sua própria trajetória: você cria o futuro e, ao mesmo tempo, recria o passado.

MARIANNE WILLIAMSON

Aprenda a delegar. Ao transferir responsabilidades para pessoas treinadas e preparadas, você pode empregar suas energias em outras atividades de alto nível. Delegar significa crescimento tanto para os indivíduos quanto para as empresas.

STEPHEN R. COVEY

Quanto dinheiro é o bastante? Para cada um de nós esta quantia é diferente e única, como uma impressão digital. Busque e celebre tudo o que puder criar, e então você terá tudo o que deve ter. Isso será o bastante.

SUZE ORMAN

Coloque seu coração em tudo o que fizer. Um esforço moderado produz resultados medíocres. Agindo com paixão, você obterá sucesso em todos os seus empreendimentos.

TAVIS SMILEY

O paraíso está dentro de você. Não tem nada a ver com o que os outros pensam, e sim com o que você escolhe pensar. Perdoar as pessoas é o seu bilhete para o paraíso e o único caminho de volta para casa. Que você possa aprender a pensar como Deus.

MARIANNE WILLIAMSON

Ao focar mais em relacionamentos e resultados do que em tempo e métodos, você se tornará ouvinte, instrutor e consultor de todos que influencia. Sua eficiência – e a das pessoas que o cercam – vai aumentar incrivelmente.

STEPHEN R. COVEY

Se a maneira como se sente depende de qualquer coisa externa, você tem um problema. Mas, se você depender apenas de sua conexão com seu eu interior, tudo em sua vida vai entrar em harmonia.

ABRAHAM-HICKS

Deixe de lado as velhas culpas e lembre-se de que você é um filho perfeito de Deus!

DOREEN VIRTUE, PH.D.

Seu *corpo* é um templo vivo onde Deus mora. Sua *mente* é um templo vivo onde Deus mora. Deus está dentro de você, e a prova disso é que você está vivo. Sua *vida* é a prova.

DOM MIGUEL RUIZ

Uma visita ou um telefonema de um amigo podem curá-lo. Você pode curar um amigo da mesma maneira. Há alguém que você queira contatar, mas nunca encontra tempo? Faça isso hoje.

CAROLINE MYSS E PETER OCCHIOGROSSO

Você vai experimentar tudo o que desejar e depois permitir que aconteça, sem exceções. Quando você se alinha com as vibrações de seu próprio desejo, passa a ter a possibilidade de realizá-lo plenamente.

ABRAHAM-HICKS

Preste atenção aos sinais que se repetem e à sua intuição, pois eles podem trazer uma informação importante.

DOREEN VIRTUE, PH.D.

Toda a magia que você possui é baseada em suas palavras. Você lança um feitiço sempre que dá uma opinião. Com suas palavras, você é capaz tanto de lançar feitiços sobre as pessoas como de libertá-las deles.

DOM MIGUEL RUIZ

Ajude os outros discretamente, sem esperar gratidão ou recompensas. Deixe que o poder curativo de seu espírito passe por suas mãos quando tocar em outra pessoa, mas não diga nada a ela. Aprenda a dar de modo invisível.

CAROLINE MYSS E PETER OCCHIOGROSSO

Se você estiver se transformando em uma pessoa mais amorosa, com mais compaixão e menos violenta, está na direção certa.

BRIAN WEISS, M.D.

Saiba quando tomar a iniciativa de mudar ou terminar um relacionamento. Saiba também quando é melhor deixá-lo como está. Num relacionamento verdadeiro, cada um é livre para partir.

CHRISTIANE NORTHRUP, M.D.

Não há limites nem condições para o perdão. Com ou sem explicações, perdoe a si mesmo e aos outros.

KEITH D. HARRELL

Pense GRANDE. Há forças ocultas prontas para apoiar seus sonhos.

CHERYL RICHARDSON

É sempre melhor falar de coração com todos com quem você se comunica. Caso contrário, a raiva vai surgir e gerar ressentimentos.

BRIAN WEISS, M.D.

Tudo o que se cria precisa de cuidado e alimentação. Regue e fertilize suas criações e sonhos com emoções positivas, pensamentos otimistas e amor.

CHRISTIANE NORTHRUP, M.D.

Sorria e dê muitas gargalhadas! Todos os dias, descubra alguma coisa feliz, engraçada e positiva sobre a vida. Sorria e dê gargalhadas, sempre e sempre!

KEITH D. HARRELL

Relacione-se com alguém especial. Uma pessoa amada é uma dádiva preciosa.

CHERYL RICHARDSON

Todos os atos de Deus buscam direcioná-lo – com amor, sabedoria e persistência – para a vida e o caráter que você sempre almejou, mas não alcançaria sem ajuda.

DR. BRUCE WILKINSON

Um pouco de empolgação para sua vida? Quer se sentir empolgado hoje? Empolgação é o resultado de fazer exatamente aquilo que você não se achava capaz de fazer!

IYANLA VANZANT

Desenvolva uma lealdade inabalável por alguém ou por alguma coisa.

CHÉRIE CARTER-SCOTT, PH.D.

Se você invoca os nomes de seus entes queridos que morreram, vai gostar de saber que, de alguma forma, eles se mantêm ao seu lado. Faz parte do pacto espiritual deles permanecer com você. O mesmo vai acontecer quando você deixar a Terra.

KRYON

Tenha certeza de que, no momento certo, Deus lhe trará as palavras certas e a coragem de dizê-las que você nunca imaginou que teria.

DR. BRUCE WILKINSON

Até hoje você pode ter se apegado a pessoas ou coisas sem perceber que o papel delas em sua vida já foi cumprido. *Só por hoje* desapegue-se de todas as pessoas ou coisas que você tem lutado para conservar.

IYANLA VANZANT

Perceba a eqüidade das coisas, depois preveja o cumprimento da justiça.

CHÉRIE CARTER-SCOTT, PH.D.

Visualize em sua mente a solução perfeita mesmo sem saber qual é! Visualize o desafio sendo superado e você entrando em harmonia com tudo o que o cerca. Não diga ao Espírito como solucionar a questão, apenas veja o problema chegando ao fim.

KRYON

Quando você respeita sua raiva e lida com ela, descobre portas em seu interior que antes não eram óbvias.

ANNE WILSON SCHAEF

O maior desafio para um homem é assumir sua parcela de culpa por um problema. O maior desafio para uma mulher é se livrar do ressentimento e perdoar.

JOHN GRAY

Abrir mão de coisas inúteis pode lhe render algum dinheiro extra. Coloque-as à venda num bazar.

JULIE MORGENSTERN

Abençoe sua casa. Ponha amor em cada canto, de modo que sua casa responda amorosamente com aconchego e conforto. Fique em paz.

LOUISE HAY

Desistir de culpar os outros por sua infelicidade e seus fracassos pode deixá-lo em silêncio por algum tempo. Mas esse silêncio é precioso, pois leva a uma consciência muito maior.

ANNE WILSON SCHAEF

As mulheres adoram cuidar de seus homens, mas primeiro elas precisam se sentir bem tratadas. Os homens gostam de ser paparicados, mas primeiro precisam sentir que deixam suas parceiras satisfeitas.

JOHN GRAY

Ponha ordem em sua casa. Um quarto organizado não precisa de mais de cinco minutos para ser arrumado, por pior que esteja.

JULIE MORGENSTERN

Acredite que "todo mundo sempre pode colaborar". Assim, aonde quer que você vá, as pessoas estarão lá para ajudá-lo.

LOUISE HAY

Quando você deixar seu ego de lado e voltar para sua essência, vai perceber o poder da intenção trabalhando por você e através de você de diversas maneiras.

DR. WAYNE W. DYER

Tente não pensar no que você *não é:* "Não sou feliz, nem rico, nem atraente..." Ao contrário, pense no que você *é:* "Sou alegre, próspero e bonito." Sua auto-estima vai aumentar muito.

SYLVIA BROWNE

Para atrair boa sorte para sua vida, muitas vezes o melhor é manter silêncio sobre seus sonhos e intenções mais íntimas. Deixe que sua visão se descortine naturalmente.

DEEPAK CHOPRA, M.D.

Uma das boas maneiras de entrar em contato com seu dinheiro é literalmente tocá-lo. Manipule as notas, sinta sua textura e as respeite. Tenha prazer em gastar seu dinheiro como fazia quando era criança, ou em preferir *não* gastá-lo. Sinta o prazer de guardá-lo agora... para usar mais tarde.

SUZE ORMAN

Todos os seus pensamentos têm impacto sobre sua vida. Quando você consegue passar de um pensamento que o enfraquece para outro que o torna mais forte, eleva sua vibração pessoal e fortalece seu campo energético.

DR. WAYNE W. DYER

Há coisas das quais você não deve abusar de forma alguma. Evite os vícios, pois eles prejudicam seu corpo, impedem o crescimento de sua alma e atrapalham sua relação direta com Deus. Peça a Ele para fortalecer sua vontade e seu autocontrole.

SYLVIA BROWNE

A maneira como você reage emocionalmente num relacionamento – com alegria, tristeza, medo ou raiva – diz muito sobre sua maneira de pensar e suas crenças.

DEEPAK CHOPRA, M.D.

A porta de saída que nos livra das dívidas abre-se um pouco mais cada vez que quitamos antigos pagamentos, criando melhores perspectivas para o futuro.

SUZE ORMAN

Você foi projetado por Deus. E Ele não erra. Não perca tempo tentando ser outra pessoa. Cada um de nós tem dons diferentes. Goste de ser você mesmo.

TAVIS SMILEY

A doença é um sinal de que estamos afastados de Deus e a cura acontece quando voltamos para Ele. Voltar para Deus é simplesmente voltar para o amor.

MARIANNE WILLIAMSON

Crie oportunidades para interagir diretamente com seu chefe, seus subordinados, seus filhos, seu cônjuge e seus amigos. Você aprende bastante quando os ouve com atenção, e isso gera soluções criativas e confiança mútua.

STEPHEN R. COVEY

Você nasceu com um magnífico sistema de orientação emocional que lhe mostra, a cada momento, exatamente qual é sua vibração, que obedece à Lei da Atração. Se você deseja se sentir bem e exercita a escolha de pensamentos de bem-estar, somente coisas boas lhe acontecerão.

ABRAHAM-HICKS

Pergunte-se como você pode servir à comunidade, em vez de perguntar como a comunidade pode servi-lo. Quando você emprega seu talento em prol dos outros, oportunidades e abundância surgem em sua vida.

TAVIS SMILEY

Uma sociedade saudável e vigorosa não é aquela em que as pessoas sempre concordam com tudo, mas aquela na qual os que não concordam podem fazê-lo com honra e respeito pela opinião dos outros... e valorizando toda a humanidade.

MARIANNE WILLIAMSON

Cuide bem de seu corpo se alimentando de forma saudável, descansando, relaxando o suficiente e praticando exercícios regularmente. Um bom programa de exercícios vai desenvolver seu corpo em três áreas: resistência, flexibilidade e força.

STEPHEN R. COVEY

Prosperar é tão natural quanto respirar. Por meio do relaxamento freqüente e da respiração profunda, sua capacidade natural de prosperar aumenta.

ABRAHAM-HICKS

Para fazer um desejo se manifestar rapidamente, pense nele enquanto você reza, canta ou ouve música.

DOREEN VIRTUE, PH.D.

A mente humana é como um solo fértil onde sementes são plantadas continuamente. Quando você é impecável com o que diz, sua mente deixa de ser solo fértil para as palavras que vêm do medo e passa a ser fértil apenas para as que vêm do amor.

DOM MIGUEL RUIZ

Use o dia de hoje para observar. Para onde sua mente vai quando divaga – para o medo ou a fantasia, para o humor ou a aflição? Siga sua mente, observe onde ela se alimenta e veja se gosta do que vai descobrir.

CAROLINE MYSS E PETER OCCHIOGROSSO

Se está fazendo a coisa certa, se não está prejudicando nem você nem ninguém, não se preocupe com o que os outros pensam. Você é livre!

BRIAN WEISS, M.D.

Acabe com a bagunça em sua casa e no seu trabalho para equilibrar o fluxo de suas atividades.

DOREEN VIRTUE, PH.D.

Você é bonito, não importa o que sua mente lhe diga. Isso é um fato. Quando você se torna *consciente* de sua própria beleza e a *aceita*, a opinião dos outros não o afeta mais.

DOM MIGUEL RUIZ

Quanto de seu dia precioso você gasta com o passado? Tudo o que fica para trás, exceto a sabedoria e o amor, já cumpriu seu papel. Tente descobrir o que prende você ao passado e por quê.

CAROLINE MYSS E PETER OCCHIOGROSSO

Sua verdadeira essência é sua alma, que é eterna e existe dentro de um oceano de amor. Você não é seu corpo.

BRIAN WEISS, M.D.

Cultive um relacionamento amoroso com você mesmo. Tenha vontade de estar sozinho e goste de sua própria companhia.

CHRISTIANE NORTHRUP, M.D.

Preste atenção às áreas de sua vida que precisam ser aprimoradas. Focalize três delas, entre em ação e faça os ajustes necessários para alcançar as melhorias que você deseja.

KEITH D. HARRELL

Ofereça ajuda a alguém. Experimente a alegria de servir aos outros.

CHERYL RICHARDSON

Deus está no comando. Se você abrir seus olhos para Ele hoje, vai perceber que há um milagre com seu nome gravado.

DR. BRUCE WILKINSON

Nossa criatividade brota livre, fácil e abundantemente quando nos livramos de nossa necessidade de controle e nos permitimos ser canais para algo maior do que nós mesmos.

CHRISTINE NORTHRUP, M.D.

Você pode perceber que não está vendo as coisas como elas são, mas como acredita que deveriam ser. Tente mudar em você o que gostaria de mudar nos outros.

KEITH D. HARRELL

Expresse sua criatividade. Delicie-se com o mistério de sua musa interior.

CHERYL RICHARDSON

Faça um diário espiritual de sua jornada íntima com Deus. Divida com Ele suas decepções. Peça a Ele sabedoria... e deixe seu pedido escrito até receber orientação.

DR. BRUCE WILKINSON

Em que áreas de sua vida você está arranjando desculpas para não usar plenamente seu potencial? Você está pronto para mudar esse comportamento hoje? As desculpas são meios pelos quais você evita, nega e resiste à grandeza que existe em você.

IYANLA VANZANT

Tenha coragem de manter suas crenças, mesmo que o mundo à sua volta pense diferente. E também de mudá-las quando não se adequarem mais à pessoa em que você se transformou. Agindo assim, você vai se tornar você mesmo.

DANIEL LEVIN

Esteja em plena sintonia com sua essência espiritual, sustentada por um poder superior.

CHÉRIE CARTER-SCOTT, PH.D.

Não importa o que esteja acontecendo à sua volta, cuide primeiro de você mesmo. Quando você está em equilíbrio, tudo vai sendo gradualmente acrescentado à sua vida e as mudanças desejadas acontecem de modo natural.

KRYON

Até hoje você pode ter se sentido sobrecarregado, tentando fazer tudo sozinho. *Só por hoje* peça a Deus para aliviar alguns de seus fardos.

IYANLA VANZANT

A prosperidade não está em acumular coisas, e sim em abrir mão delas... porque apenas quando você fica vazio pode ser preenchido por algo maior.

DANIEL LEVIN

Seja uma fonte de força e apoio para você mesmo e para os outros.

CHÉRIE CARTER-SCOTT, PH.D.

Sempre que você vir ou ouvir a palavra *Deus*, pense na pessoa que está perto de você, em sua família trabalhando ou se divertindo e na verdadeira essência de quem você é. Não pense em um poder único e maior que o seu, em algum lugar no céu. Ele é *você*.

KRYON

No passado, você pode ter acreditado que qualquer coisa que valesse a pena fazer devia ser realizada de maneira frenética. Você precisa aprender que não é necessário agir "freneticamente" para que um trabalho seja concluído.

ANNE WILSON SCHAEF

A mulher espera que seu parceiro saiba quando ela precisa de apoio. O homem pede apoio quando precisa.

JOHN GRAY

Se você tem dificuldade de abrir mão de coisas que não usa, tente doá-las para uma instituição de caridade ou para um amigo. É mais fácil dar as coisas quando elas vão para uma organização ou para alguém de que você gosta.

JULIE MORGENSTERN

Preste atenção e seja cuidadoso com o que acontece à sua volta.

LEON NACSON

Todos nós nos sentimos desanimados às vezes. Mas lembre-se de que o crescimento se parece mais com uma espiral do que com uma linha reta. O desânimo é inevitável, assim como o entusiasmo.

ANNE WILSON SCHAEF

Resista à tentação de resolver os problemas dela – em vez disso, seja solidário. Não dê conselhos sem que ele peça – seja apenas atenciosa.

JOHN GRAY

Melhore sua qualidade de vida. Permita-se ter coisas de que você precisa e gosta, livrando-se do que não gosta nem precisa.

JULIE MORGENSTERN

Tenha muita consideração por você mesmo. Seja seu melhor amigo.

LEON NACSON

Não importa o que os outros pensam ou dizem. O que importa é como você escolhe reagir e o que pensa sobre si mesmo.

LOUISE HAY

Ninguém pode colocar você para baixo. Ninguém pode deixá-lo ansioso. Ninguém pode ferir seus sentimentos. Ninguém pode lhe fazer nada se você não permitir.

DR. WAYNE W. DYER

Seus sonhos podem dispersar toda a negatividade que você absorveu durante o dia. Antes de ir dormir, peça a Deus o que exatamente você gostaria de realizar em seus sonhos. Você vai se surpreender com os resultados.

SYLVIA BROWNE

Para ter sucesso e riqueza, seus objetivos e seu foco precisam ser claros. A partir daí, você pode deixar o Universo cuidar dos detalhes.

DEEPAK CHOPRA, M.D.

O Universo apóia plenamente todos os pensamentos em que você decide acreditar. Você tem escolhas ilimitadas sobre o que pensar. Escolha o equilíbrio, a harmonia e a paz, e expresse tudo isso em sua vida.

LOUISE HAY

Você pode ficar lamentando como foi mau e se sentindo culpado pelo resto da vida, mas nada disso mudará seu passado.

DR. WAYNE W. DYER

A força não é nada mais que a capacidade de encarar a vida – de sobreviver aos sofrimentos e agonias de cabeça erguida. Às vezes, apenas caminhar através da adversidade e superá-la já é um sinal de força.

SYLVIA BROWNE

Quando surge um obstáculo em seus relacionamentos, saiba que você sempre pode substituir os sentimentos de medo pelos de amor.

DEEPAK CHOPRA, M.D.

Se você quer dinheiro em sua vida, precisa recebê-lo com alegria, estar aberto para ele e tratá-lo com respeito. São suas crenças e atitudes que o fazem se sentir rico e livre para confiar em si mesmo, utilizando seu dinheiro da maneira correta.

SUZE ORMAN

Faça dos outros o seu foco. Doe generosamente, ouça com atenção, elogie com liberdade e ame sem limites. Tire o foco de luz de cima de você e ilumine os outros.

TAVIS SMILEY

Parte do caminho para sua própria evolução é aprender a ajudar o outro a se tornar a melhor pessoa possível. O objetivo de um parceiro é ajudar o outro a atingir a plenitude de seu potencial.

MARIANNE WILLIAMSON

Ao começar seu dia, tenha sempre em mente o que você deseja alcançar no final de sua vida. Essa visão deve servir como referência para sua existência como um todo.

STEPHEN R. COVEY

Quando você dissocia sua idéia de valor pessoal dos bens materiais, passa a precisar de menos coisas e a gastar menos. À medida que sua auto-estima cresce, sua dívida diminui. Pode chamar isso de lei da física financeira!

SUZE ORMAN

Perdoe seus pais, seus irmãos, seu companheiro, seus amigos e inimigos. Acima de tudo, perdoe a si mesmo.

TAVIS SMILEY

Suas realizações não decorrem do que você *faz*, mas de quem você *é*. Seu poder no mundo é resultado de sua força pessoal. Sua carreira é uma extensão de sua personalidade.

MARIANNE WILLIAMSON

Da próxima vez que você tiver uma divergência ou uma briga com alguém, tente entender os motivos dessa pessoa. Trate dessas questões de uma forma criativa que beneficie os dois lados.

STEPHEN R. COVEY

Para que tanta pressa? Você nunca vai conseguir terminar tudo mesmo, então para que toda essa correria? Cada uma das atividades em que você se envolve tem apenas uma finalidade: proporcionar um momento de alegria. Ria mais. Aproveite mais a vida. Tudo está bem.

ABRAHAM-HICKS

É importante pensar apenas no que você deseja, e não no que você teme.

DOREEN VIRTUE, PH.D.

Ao dar o melhor de si, certos hábitos, como usar mal as palavras, tomar as coisas pelo lado pessoal e tentar adivinhar o que os outros estão pensando, vão se tornar cada vez mais fracos e raros.

DOM MIGUEL RUIZ

Celebre tudo o que é bom e abençoado em sua vida, lembrando-se de que a gratidão é um remédio poderoso. Reconhecer suas bênçãos aumenta sua vitalidade.

CAROLINE MYSS E PETER OCCHIOGROSSO

Busque primeiro a sensação de bem-estar e tudo o mais vai para o devido lugar. Seja egoísta o bastante para buscar sua própria satisfação, pois só assim você vai chegar à sua essência pura e natural.

ABRAHAM-HICKS

Saiba que você merece receber o bem de todas as maneiras.

DOREEN VIRTUE, PH.D.

Ame seu vizinho, ame seus inimigos, mas comece sempre com o amor-próprio. Você não pode compartilhar o que não tem. Se você não se amar, não poderá amar mais ninguém.

DOM MIGUEL RUIZ

Qualquer mudança em sua dieta, por menor que seja, pode gerar um corpo novo e uma mente mais fresca. Hoje, evite comer coisas que criem conflito dentro de você. Observe a rapidez com que seu corpo manifesta sua gratidão.

CAROLINE MYSS E PETER OCCHIOGROSSO

Mesmo que haja apenas uma verdade, saiba que há muitos caminhos que levam até ela.

BRIAN WEISS, M.D.

Tente entender o poder da parceria. Sempre que você trabalhar em sinergia com uma pessoa, ou um grupo, seu poder se tornará exponencialmente maior do que seria individualmente.

CHRISTIANE NORTHRUP, M.D.

Tire férias de 30 segundos. Faça uma viagem para dentro de você mesmo e mantenha o foco na positividade. Dessa forma você cria uma atitude de força e coragem, com infinitas possibilidades.

KEITH D. HARRELL

Estabeleça limites. Proteja seu precioso tempo e sua valiosa energia.

CHERYL RICHARDSON

Você não vai morrer junto com seu corpo. Uma parte continua. Você vai reencontrar as pessoas que ama porque elas também são imortais.

BRIAN WEISS, M.D.

Sua inteligência deve estar sempre a serviço da sabedoria de seu coração. Permita que ambos sejam parceiros. A mente é uma grande serva, mas uma governante tirânica.

CHRISTIANE NORTHRUP, M.D.

A diferença entre ordinário e extraordinário está na partícula "extra". Hoje, peça a si mesmo mais do que você e os outros poderiam esperar.

KEITH D. HARRELL

Arrisque-se. Dentro de você existe o poder de mover montanhas.

CHERYL RICHARDSON

Deus está zelando por você. Se você pedir, Ele vai dizer aonde não deve ir. Cabe a você pedir proteção contra o mal, agradecer Seu cuidado e Lhe obedecer.

DR. BRUCE WILKINSON

Quer parar de ficar tentando agradar às pessoas hoje? A melhor maneira de ser fiel a você mesmo é dizer *não* quando não quiser alguma coisa e só dizer *sim* quando realmente quiser.

IYANLA VANZANT

Todos nós tememos enfrentar a vida sozinhos. Por medo de não sermos aceitos, usamos drogas. Por medo de parecermos estranhos, usamos roupas da moda. Por medo de nos sentirmos diminuídos, gastamos um dinheiro que não temos. Quando você entender que Deus o ama, não precisará tanto do amor dos outros.

MAX LUCADO

Dê poder a alguém de sua confiança e permita que ele o guie em seu caminho.

CHÉRIE CARTER-SCOTT, PH.D.

Se o problema é o pecado, arrependa-se e siga em frente. Você não vai se lamentar depois.

DR. BRUCE WILKINSON

Até hoje você pode não ter compreendido que ocultar os sentimentos cria tensão num relacionamento e que o que você sente é um passo importante em direção à sua cura e à do outro. *Só por hoje* tente expressar seus sentimentos amorosamente, de uma maneira que agrade a você e aos outros.

IYANLA VANZANT

E daí se alguém nasceu mais magro ou mais gordo, mais claro ou mais escuro do que você? Para que contar diplomas e comparar currículos? Que importância tem se alguém está sentado à cabeceira da mesa? Você tem o seu lugar na mesa de *Deus*.

MAX LUCADO

Acolha os outros exatamente como são e os ajude a realizar seus sonhos.

CHÉRIE CARTER-SCOTT, PH.D.

Use o amor divino que existe em sua energia e olhe para si mesmo com perdão. Perdoe a criança dentro de você.

KRYON

Você fez algumas escolhas ruins, algumas escolhas boas e outras mais ou menos. O importante é que todas elas são suas.

ANNE WILSON SCHAEF

Homens, fiquem ao lado de suas mulheres quando elas se aborrecerem com alguém. Mulheres, digam a seus homens: "A culpa não é sua."

JOHN GRAY

Use uma sala de jardim-de-infância como modelo para organizar qualquer espaço. Identifique três ou cinco funções principais para sua sala e divida o espaço entre as atividades correspondentes.

JULIE MORGENSTERN

Quando você invoca o amor de Deus e exercita a pura intenção, ocorrem milagres.

KRYON

Que delícia saber que você tem dentro de si tudo de que precisa para conhecer e experimentar sua espiritualidade! Você *é* a sua espiritualidade. Tudo o que precisa fazer é não impedi-la de se manifestar.

ANNE WILSON SCHAEF

Elas valorizam o amor, a comunicação, a beleza e os relacionamentos. *Eles* valorizam a admiração, a aprovação, o reconhecimento e a confiança.

JOHN GRAY

Algumas recordações são um grande prazer; recordações demais são um fardo. Transforme um belo baú numa caixa de tesouros e guarde apenas o que couber lá dentro.

JULIE MORGENSTERN

Tenha prazer em sua sexualidade. Ela é uma coisa normal e natural para você. Aprecie o prazer que seu corpo lhe dá. É seguro desfrutar seu corpo.

LOUISE HAY

Estar relaxado, em paz consigo mesmo, confiante, emocionalmente equilibrado e livre – essas são as chaves para ter sucesso em quase tudo o que você fizer.

DR. WAYNE W. DYER

Você deve perdoar sempre que possível, mas há coisas e pessoas que não vai conseguir perdoar, por mais que se esforce. Nesses casos, entregue a Deus, pois Ele é mais poderoso e pode cuidar do que você não consegue.

SYLVIA BROWNE

A maneira como trata as pessoas – seja um velho amigo ou um caixa de banco – indica como você espera que as pessoas o tratem.

DEEPAK CHOPRA, M.D.

Dinheiro é uma energia e uma troca. Quanto você tem depende do que acha que merece.

LOUISE HAY

A escolha é sua: você pode dizer "Bom-dia, Deus!" ou "Meu Deus, mais um dia!".

DR. WAYNE W. DYER

Quanto mais você realizar na vida, mais visado será. Se você sentir que está agindo de acordo com a vontade de Deus, eventuais fofocas não vão feri-lo. Mas tome cuidado para não ser *você* mesmo quem gera e espalha fofocas.

SYLVIA BROWNE

Estar apaixonado pode fazer você se sentir muito poderoso, como se todas as coisas selvagens e maravilhosas fossem possíveis.

DEEPAK CHOPRA, M.D.

Pergunte a si mesmo: "O que estou dizendo a mim mesmo que não consigo fazer com relação a dinheiro?" Quando você tiver encarado seus medos e conseguido realizar uma dessas coisas que julgava impossíveis, pense no que mais você não está fazendo mas pode conseguir.

SUZE ORMAN

Para o bem e para o mal, você é responsável por tudo em seu passado e em seu futuro. Não culpe seus pais, seus professores ou seu chefe. A responsabilidade é sua.

TAVIS SMILEY

A vida é muito mais do que a vida do corpo; ela é uma infinita expansão de energia, um continuum de amor em infinitas dimensões. Você está vivo desde sempre e vai continuar vivo eternamente.

MARIANNE WILLIAMSON

Olhe para a fraqueza dos outros com compaixão, não com acusação. A questão não é o que eles estão ou deveriam estar fazendo, e sim a sua reação e o que *você* deveria estar fazendo.

STEPHEN R. COVEY

O que acontece com seu dinheiro afeta diretamente a sua qualidade de vida – não a de seu corretor ou a de seu banqueiro, mas a *sua*.

SUZE ORMAN

Cerque-se de pessoas com habilidade, aptidão e experiência iguais ou superiores às suas. Misture-se a novos talentos para crescer mais. Você vai se beneficiar e quem está à sua volta também vai prosperar.

TAVIS SMILEY

Sua maior oportunidade de afetar positivamente outra pessoa é aceitar o amor de Deus em sua própria vida. Se você *é* a luz, pode fazê-la *brilhar* sobre tudo e todos.

MARIANNE WILLIAMSON

Valorizar as diferenças é a essência da sinergia. Pessoas realmente eficientes têm a humildade de reconhecer suas próprias limitações e perceber as vantagens de interagir com os outros.

STEPHEN R. COVEY

Não se consegue nenhuma orientação efetiva buscando a aprovação dos outros porque todos querem coisas diferentes de você. A orientação pura e constante vem de dentro de você mesmo. Ela está sempre lá.

ABRAHAM-HICKS

Tente se tornar mais autêntico e sincero. Deixe de lado todas as pretensões e a necessidade de manter as aparências.

LEON NACSON

Seu coração pode criar uma quantidade ilimitada de amor não só para você mesmo, mas para todo o mundo. Abra seu coração e pare de andar pelo mundo implorando por amor. No seu coração existe todo o amor de que você precisa.

DOM MIGUEL RUIZ

Reconheça hoje o poder restaurador da esperança. Direcione-o para abençoar tudo o que precisa ser curado em sua vida, incluindo suas atitudes negativas e decepções.

CAROLINE MYSS E PETER OCCHIOGROSSO

A essência de tudo o que você admira está constantemente fluindo para dentro de você e criando sua realidade. À medida que você aprecia as coisas, sua receptividade aumenta, abrindo mais canais para absorvê-las.

ABRAHAM-HICKS

Envolva-se espontaneamente em atos de benevolência e generosidade.

LEON NACSON

O que os outros dizem e fazem é uma projeção de sua própria realidade e de seus sonhos. Quando você fica imune às opiniões e atitudes de terceiros, deixa de sofrer desnecessariamente.

DOM MIGUEL RUIZ

A doença pode ser uma professora, uma companheira ou um desafio – mas não um castigo. Ainda assim, às vezes sua mensagem não é clara. Ignore a doença. Procure estímulo na crença de que você pode se curar.

CAROLINE MYSS E PETER OCCHIOGROSSO

Você pode achar que sua mente está sempre cheia de pensamentos sem importância. Preste atenção em sua respiração ou em seus passos – eles são sagrados.

BRIAN WEISS, M.D.

Esteja pronto para admitir que você está enganado ou que cometeu um erro. Essa é a única maneira de aprender.

CHRISTIANE NORTHRUP, M.D.

Comece a ver o invisível... então você poderá fazer o impossível. Sua atitude positiva lhe permitirá ver além da superfície, e assim você será capaz de realizar tudo o que quiser.

KEITH D. HARRELL

Brinque com as crianças. Elas são nossas maiores professoras.

CHERYL RICHARDSON

Você não vai ficar milagrosamente feliz se alguém mudar ou se o mundo mudar, mas apenas se *você* mudar.

BRIAN WEISS, M.D.

Agradeça pelos grandes artistas, músicos, cientistas e todos aqueles cuja visão e trabalho nos engrandecem. Seja se expressando ou apreciando a expressão de outros, você faz parte desse magnífico círculo da manifestação humana.

CHRISTIANE NORTHRUP, M.D.

Mergulhe na mente ilimitada da criação e tire de lá os pensamentos, planos e ações que levarão à realização de seus desejos.

KEITH D. HARRELL

Peça ajuda. Receber é um ato de generosidade.

CHERYL RICHARDSON

Deus tem maneiras muito diferentes de aumentar sua influência e seu impacto. Ele vai criar as circunstâncias e as oportunidades mais estratégicas para você.

DR. BRUCE WILKINSON

Em que área de sua vida você está evitando fazer uma escolha? Quer ter orgulho de tudo o que escolher hoje? Se você não fizer opções claras e conscientes, vai ficar sempre paralisado diante do que lhe aparecer.

IYANLA VANZANT

Seu coração não é grande o suficiente para conter todas as bênçãos que Deus quer lhe dar. Ele derrama bênçãos até que elas transbordem. A última coisa com a qual você deve se preocupar é em não ter o bastante.

MAX LUCADO

Estabeleça parâmetros que atestem seu progresso e mostrem onde você precisa empregar mais energia e esforço.

CHÉRIE CARTER-SCOTT, PH.D.

Deus não espera que você seja tão correto quanto Ele, por isso não se cobre tanto.

DR. BRUCE WILKINSON

Até hoje você pode ter esperado que alguém lhe dissesse ou desse alguma coisa que o fizesse se sentir bem. *Só por hoje* permita-se estar bem com você mesmo. Aceite que está certo ser quem você é e estar onde você está!

IYANLA VANZANT

Não comece a se afligir agora com os problemas que ainda virão. Você só possui força suficiente para hoje. Nós não precisamos saber o que vai acontecer amanhã.

MAX LUCADO

Viva de acordo com seus valores, sua visão, suas habilidades e seu potencial.

CHÉRIE CARTER-SCOTT, PH.D.

Reúna-se com outras pessoas e envie a energia do pensamento positivo para o planeta e para a humanidade. Juntos, poderão criar muito mais do que a soma da energia individual de todos vocês.

KRYON

Quando você diz a verdade da melhor forma que pode, aumenta a energia curativa do Universo.

ANNE WILSON SCHAEF

Homens, pensem antes de expressar sua raiva para elas. Mulheres, sejam delicadas quando expressarem sua raiva para eles.

JOHN GRAY

Se você colocar cada coisa em seu lugar, verá como é bom procurar e encontrar!

JULIE MORGENSTERN

A Terra e a humanidade são uma dupla inseparável. Você não vai encontrar equilíbrio se não compreender sua relação primordial com o planeta – sua relação com o coração da Terra.

KRYON

Você nunca vai poder retribuir tudo o que o Criador lhe deu. Aceite, use e compartilhe seus dons.

ANNE WILSON SCHAEF

A percepção feminina é expansiva – primeiro vê o todo, para depois perceber os detalhes. A percepção masculina é seqüencial – constrói uma imagem completa a partir de cada parte.

JOHN GRAY

O caos pode dar uma sensação de conforto, segurança, distração e proteção à sua vida. Identifique os medos que você pode estar escondendo sob sua bagunça.

JULIE MORGENSTERN

Diga "Fora!" para todo pensamento negativo que passar por sua cabeça. Ninguém, nada nem lugar nenhum têm poder sobre sua vida, pois é você quem controla sua mente e cria sua própria realidade.

LOUISE HAY

Valorize seu corpo físico como um veículo que abriga sua alma. Se encontrar seu caminho interior, o exterior será conseqüência.

DR. WAYNE W. DYER

Todos podem ser sensitivos (mas não são necessariamente). Se você optar por esse caminho, tenha coragem de seguir sua primeira impressão sem medo de errar. Tire seu ego do caminho e entre em contato com sua intuição.

SYLVIA BROWNE

A meditação permite que você vá além da mente e entre em contato com o espírito. Procure conhecer intimamente o "campo unificado", onde o verdadeiro sucesso em todos os níveis se torna imediatamente possível.

DEEPAK CHOPRA, M.D.

Você é a única pessoa que pode controlar seus hábitos alimentares. E sempre pode resistir à tentação.

LOUISE HAY

A paz mundial só pode ser conseguida por meio da paz interior. Um mundo habitado por pessoas de bem com a vida é um mundo pacífico.

DR. WAYNE W. DYER

Quando se sentir entediado, *faça alguma coisa*, pois há sempre algo a ser feito, visto ou explorado neste mundo. Não se esqueça de que o tédio pode causar depressão. Então, mexa-se e viva!

SYLVIA BROWNE

Aquilo que você despreza como uma simples coincidência pode ser o início de uma aventura extraordinária.

DEEPAK CHOPRA, M.D.

Quando você entender que seu valor *pessoal* não é determinado por seu *patrimônio*, vai obter a liberdade financeira.

SUZE ORMAN

Dê um novo ritmo à sua vida. Acrescente uma atividade, faça um amigo, leia um livro, siga um caminho diferente. Saia da rotina. Acrescente novos hábitos e amplie suas fronteiras.

TAVIS SMILEY

Comer alimentos nutritivos torna seu corpo mais leve e com mais energia. Ao cuidar de seu corpo, você cuida melhor de seu espírito.

MARIANNE WILLIAMSON

Acredite nos outros, mesmo que eles não acreditem em si mesmos. Ouça-os e os compreenda. Ajude-os a fortalecer seus aspectos positivos. Agir assim aumenta suas oportunidades de interagir com pessoas proativas.

STEPHEN R. COVEY

Doar dinheiro para caridade é uma maneira de dizer ao mundo, ao mesmo tempo, *obrigado* e *por favor*. Uma doação sincera voltará para o doador em dobro.

SUZE ORMAN

Não se preocupe com a maneira como os outros o vêem. Não fique obcecado pela necessidade de impressionar seus amigos e inimigos. Tenha em mente apenas a imagem que vê no espelho. Não permita que a aprovação dos outros atrapalhe sua visão de si mesmo.

TAVIS SMILEY

A paz é muito mais do que a ausência de guerra e de violência; ela é uma condição em si mesma. O objetivo agora deve ser a *criação* da paz. Sem amor, não há paz. Onde não há amor, algum tipo de guerra será sempre inevitável.

MARIANNE WILLIAMSON

Para continuar progredindo, você precisa aprender, se empenhar e fazer; aprender, se empenhar e fazer; aprender, se empenhar e fazer. Sempre.

STEPHEN R. COVEY

Fale pouco, mas, quando o fizer, use palavras suaves, que toquem o coração das pessoas. Seja verdadeiro. Expresse sua bondade. Abstenha-se da vaidade. Este é o Caminho.

DANIEL LEVIN

Espere sempre o melhor resultado para você mesmo e para os outros.

LEON NACSON

Quando você ouve uma opinião e acredita nela, faz um pacto e ela passa a fazer parte de seu conjunto de crenças. A única maneira de quebrar esse pacto é fazer outro, baseado na verdade. Só a verdade tem o poder de libertar você.

DOM MIGUEL RUIZ

Supere a barreira da negatividade e da insegurança e recuse-se a permitir que qualquer obstáculo separe você da conquista de seus sonhos.

KEITH D. HARRELL

Trate de tudo e de todos com compaixão. A suprema sabedoria é não fazer diferença entre o sagrado e o profano, o santo e o pecador.

DANIEL LEVIN

Lute para realizar os desejos de seu coração e para se libertar dos anseios que não lhe servem mais.

LEON NACSON

Se houver amor em seus olhos, você verá amor aonde quer que vá. As árvores são feitas com amor. Os animais são feitos com amor. Tudo é feito com amor. Quando você enxerga com os olhos do amor, vê Deus em toda parte.

DOM MIGUEL RUIZ

Os preparativos de hoje determinam as realizações de amanhã. Viva cada dia preparando as múltiplas oportunidades que estão por vir.

KEITH D. HARRELL

Faça algo por puro prazer. Esse é um dos nutrientes essenciais da vida.

CHERYL RICHARDSON

Faça algo novo – ou pelo menos diferente – todos os dias. Perceba que a vida nunca fica parada, estagnada ou cansada, pois cada momento é novo.

LOUISE HAY

Faça a coisa certa... Especialmente quando ninguém está olhando.

CHÉRIE CARTER-SCOTT, PH.D.

Você é um elo na cadeia de luz que é o próprio Universo – portanto, você é uma parte de Deus.

KRYON

Apodere-se de sua grandeza. O mundo precisa de seu brilho e de sua graça.

CHERYL RICHARDSON

De tempos em tempos, pergunte àqueles que você ama: "Como posso amá-los mais?" Relacionamentos duradouros vão iluminar sua vida.

LOUISE HAY

Descubra as bênçãos que você já recebeu.

CHÉRIE CARTER-SCOTT, PH.D.

Celebre sua vida, não importa aonde ela o leve e quais sejam as dificuldades. E saiba que ela é apenas uma transição.

KRYON

Que ferida sua ainda não foi curada? Quer começar a curá-la hoje? Uma ferida aberta drena a energia de que você precisa para superar seus limites.

IYANLA VANZANT

Desde o começo dos tempos, Deus o conhece e o ama. Ele não espera que você corrija todos os seus defeitos. Ele espera que você O procure de braços abertos e mãos vazias.

DR. BRUCE WILKINSON

Respeite-se. Você é o melhor juiz para avaliar o que está certo.

CHERYL RICHARDSON

Tenha fé durante um conflito inevitável. Resista. Nunca se sabe como as coisas vão se resolver.

CHRISTIANE NORTHRUP, M.D.

Até hoje você se agarrou a certas coisas por medo de que elas não pudessem ser substituídas. *Só por hoje* imagine como seria sua vida se você recebesse algo *melhor* do que aquilo a que se prendeu até agora.

IYANLA VANZANT

Se sua relação com Deus está estremecida, peça desculpas por seus pensamentos e atitudes. Diga a Ele que você entendeu errado Suas ações e O julgou mal. Diga a Ele exatamente como você tem se sentido e por quê. Peça perdão.

DR. BRUCE WILKINSON

Reconsidere compromissos. Você tem o direito de mudar de idéia.

CHERYL RICHARDSON

Reconheça a contribuição intelectual e criativa dos outros. Aprecie a sua também.

CHRISTIANE NORTHRUP, M.D.

As palavras têm um impacto poderoso e não são facilmente esquecidas. Feridas causadas por palavras de ódio ou raiva podem durar muito tempo.

BRIAN WEISS, M.D.

Como você define "cuidar de si mesmo"? Crie uma nova prática para cuidar de você hoje. Observe seu nível de conforto quando se sentir satisfeito. O desconforto é um sábio professor.

CAROLINE MYSS E PETER OCCHIOGROSSO

Seus exclusivos talentos criativos e habilidades fluem de você e se expressam de maneiras profundamente satisfatórias. Sua criatividade é sempre bem-vinda.

LOUISE HAY

Você não enfrenta a morte sozinho; Deus está ao seu lado. Você pode estar desempregado, mas não está sozinho; Deus está com você. Você pode estar passando por problemas conjugais, mas não está sozinho; Deus está com você. Você pode estar com dívidas, mas não está sozinho; Deus está com você. Você nunca está sozinho.

MAX LUCADO

Ame os outros plenamente, de todo o coração, sem medo nem reservas. Quanto mais você der, mais receberá de volta.

BRIAN WEISS, M.D.

Ponha em prática o poder curativo da compaixão. Abra seu coração para as outras pessoas, sem julgá-las, e irradie uma mensagem de prazer por elas fazerem parte de sua vida.

CAROLINE MYSS E PETER OCCHIOGROSSO

Lembre-se de que a vida é muito simples. É você quem cria suas experiências a partir de seus padrões de pensamento e de sentimento.

LOUISE HAY

A solidão pode ser um dos maiores presentes divinos. Se uma temporada solitária for uma maneira de Deus lhe ensinar Sua música, você não acha que vale a pena?

MAX LUCADO

INFORMAÇÕES SOBRE OS PRÓXIMOS LANÇAMENTOS

Para receber informações sobre os lançamentos da EDITORA SEXTANTE, basta enviar um e-mail para atendimento@esextante.com.br ou cadastrar-se diretamente no site www.sextante.com.br

Para saber mais sobre nossos títulos e autores, e enviar seus comentários sobre este livro, visite o nosso site: www.sextante.com.br

EDITORA SEXTANTE
Rua Voluntários da Pátria, 45 / 1.404 – Botafogo
Rio de Janeiro – RJ – 22270-000 – Brasil
Telefone: (21) 2286-9944 – Fax: (21) 2286-9244
E-mail: atendimento@esextante.com.br